শোনো, শোনো

Listen, Listen

written by Phillis Gershator
illustrated by Alison Jay

Bengali translation by Raihana Mahbub

521 176 58 7

শোনো, শোনো... ওটা কিসের শব্দ? চারদিকে পোকা-মাকড়ের গান।

Listen, listen ... what's that sound? Insects singing all around!

চিরপ, চিরপ, চুর, চুর, বাজ, বাজ, হুইর, হুইর ।

Chirp, chirp, churr, churr, buzz, buzz, whirr, whirr.

পাতার মর্মর ধ্বনি, হ্যামোকের মৃদু দোলা।
ঝপাৎ, বাচচাদের পানিতে ঝাপিয়ে পড়া।

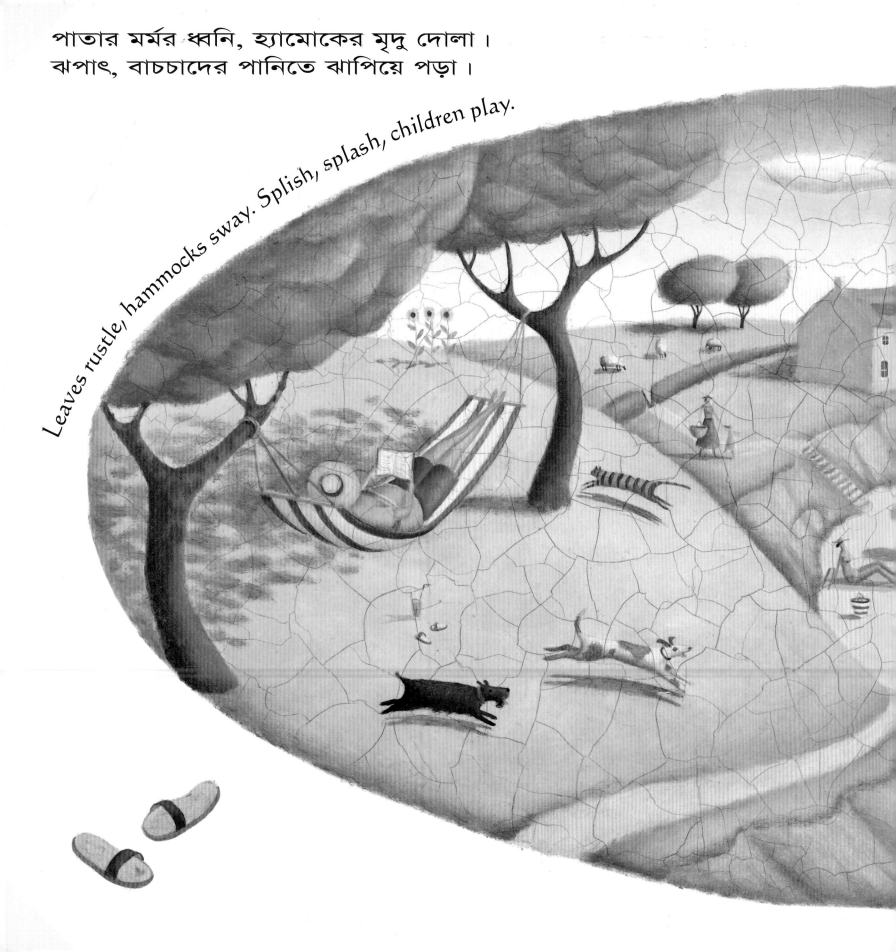

Leaves rustle, hammocks sway. Splish, splash, children play.

মেঘ ভেসে বেড়ায়, কুকুর দৌড়ায় । গ্রীষ্মের রোদে ঝলসে যায় ।

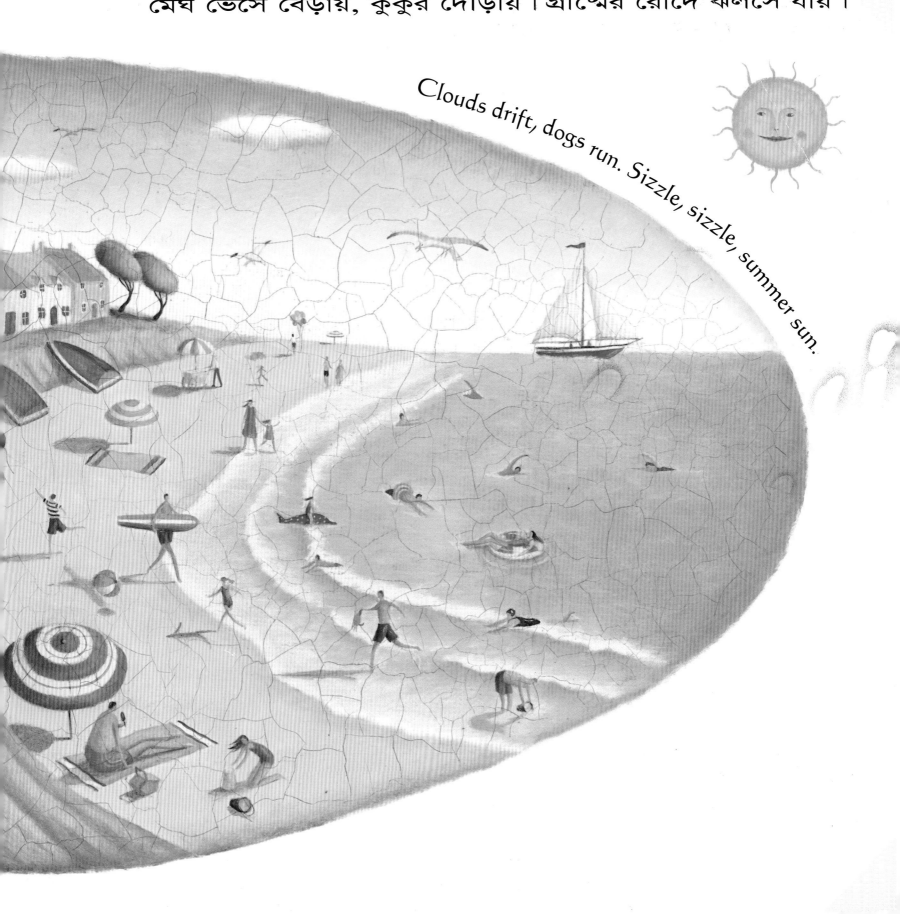

Clouds drift, dogs run. Sizzle, sizzle, summer sun.

শোনো, শোনো... গ্রীষ্মকাল শেষ।
পোকা-মাকড়ের বিদায়ের পালা, শরৎকাল আসছে।

Listen, listen ... summer's gone.
Good-bye insects, autumn's come.

টুপ, টুপ, এ্যাকর্ন পড়ে। তাড়াহুড়া করে কাঠবেড়ালী লাফিয়ে চলে।

Plop, plop, acorns drop.
Hurry, scurry, squirrels hop.

কুমড়ো পাকে, তাড়াতাড়ি। আপেল, শস্য – এবার তোলার পালা।

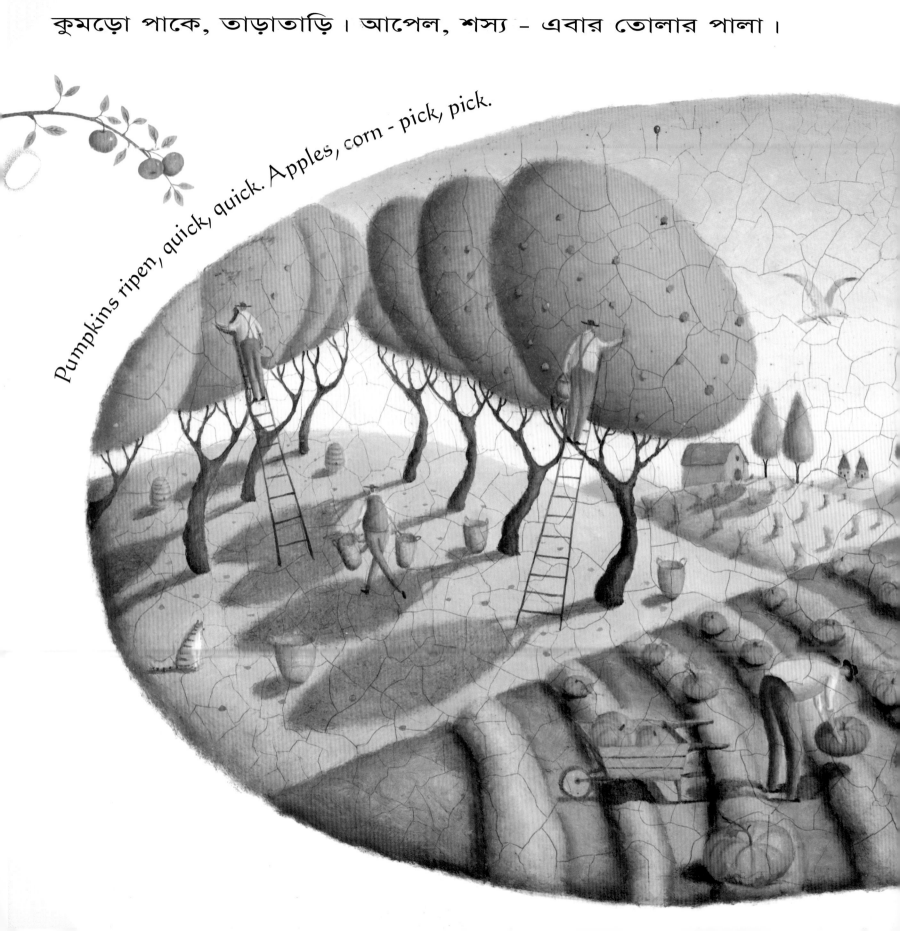

Pumpkins ripen, quick, quick. Apples, corn - pick, pick.

মচমচিয়ে মানুষ হাঁটে। আঁ-ক আঁ-ক শংখচিল ডাকে।

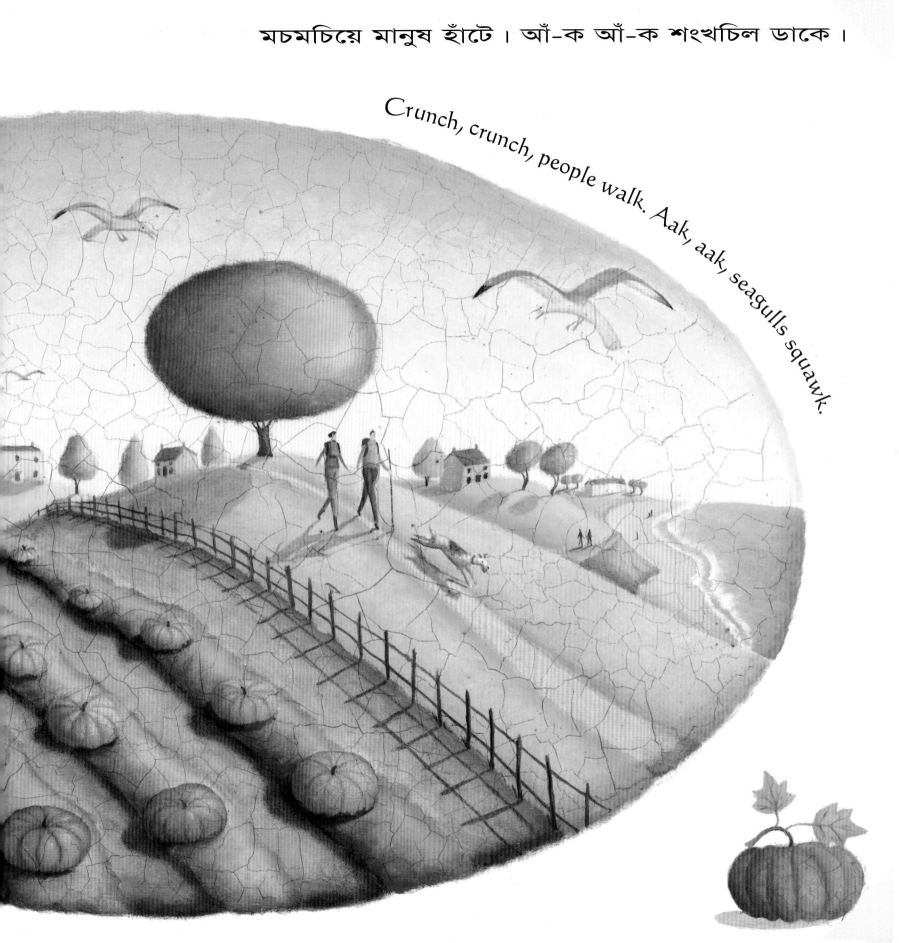

Crunch, crunch, people walk. Aak, aak, seagulls squawk.

হাঁ-ক, হাঁ-ক, হাঁস ডাকে। ঝুপ করে পাতা পড়ে।

Honk, honk, geese call. Swish, swish, leaves fall.

শন শন বাতাসে টুপি উড়ে যায় । উহুউ, উহুউ, পেঁচা ডাকে ।

Whoosh, whoosh, hats fly. Whoo, whoo, owls cry.

শোনো, শোনো... শরতকাল শেষ। তুষারকুচি কানে কানে বলে,
"শীত হল আনন্দের।"

Listen, listen ... autumn's gone. Snowflakes whisper, "Winter's fun."

শশ, শশ, বরফে ঢাকা রাত।
বরফে আলোর ঝলক, সাদা আর চকচকে।

Shhh, shhh, snowy night. Snow sparkles, white, bright.

ক্রাচ, ক্রাচ, বুটের ভারী আওয়াজ।
বড়রা চলে ঠেলাঠেলি করে আর ছেলেমেয়েরা চলে হৈ চৈ করে।

Crunch, crunch, boots clomp. Grown-ups shovel, children romp.

স্কেটিং করে ঘুরে ঘুরে, স্কিইং করে গড়িয়ে গড়িয়ে।
এলিয়ে, মেলিয়ে, পিছলিয়ে, গড়িয়ে।

Skaters spin, skiers glide. Zip, zoom, slip, slide.

ওহ, ওহ, এবার গরম হওয়ার সময়। উহ, আহ, মোমবাতি জ্বলে।

Brrr, brrr, warm-up time. Ooh, aah, candles shine.

মিউ, মিউ, বিড়াল চেয়ে আছে। গনগনে, আগুনের শিখা।

Purr, purr, cats gaze. Crackle, crackle, fires blaze.

শোনো, শোনো... শীতের শেষ।
ফিন্চ পাখী শিষ দিয়ে বলে, "এই তো সূর্য।"

Listen, listen ... winter's gone. Finches whistle, "Here's the sun!"

লকলকিয়ে বীজ থেকে চারা গজিয়ে ওঠে।
পাতা বের হয়, রংয়ের বাহার নিয়ে ফুল হাতছানি দিয়ে ডাকে।

Pop, pop, bulbs sprout. Leaves grow, flowers shout.

ক্রিক, ক্রাক, ডিমের খোসা ভেঙ্গে মুরগী ছানা বের হয় ।
চিক চিক ছানাগুলোর খিদেয় ডাকাডাকি ।

Crick, crack, babies hatch. Peep, peep, chickens scratch.

ব্যাং ডাকে ঘ্যাংগর ঘ্যাং, হাঁসছানা ডাকে কোয়াক কোয়াক,
খরগোশ চিবায় মচমচিয়ে।

Frogs croak, ducklings quack. Munch, munch, rabbits snack.

বৃস্টি পড়ে টাপুর টুপুর । শালিক চেঁচায় কিচিরমিচির ।

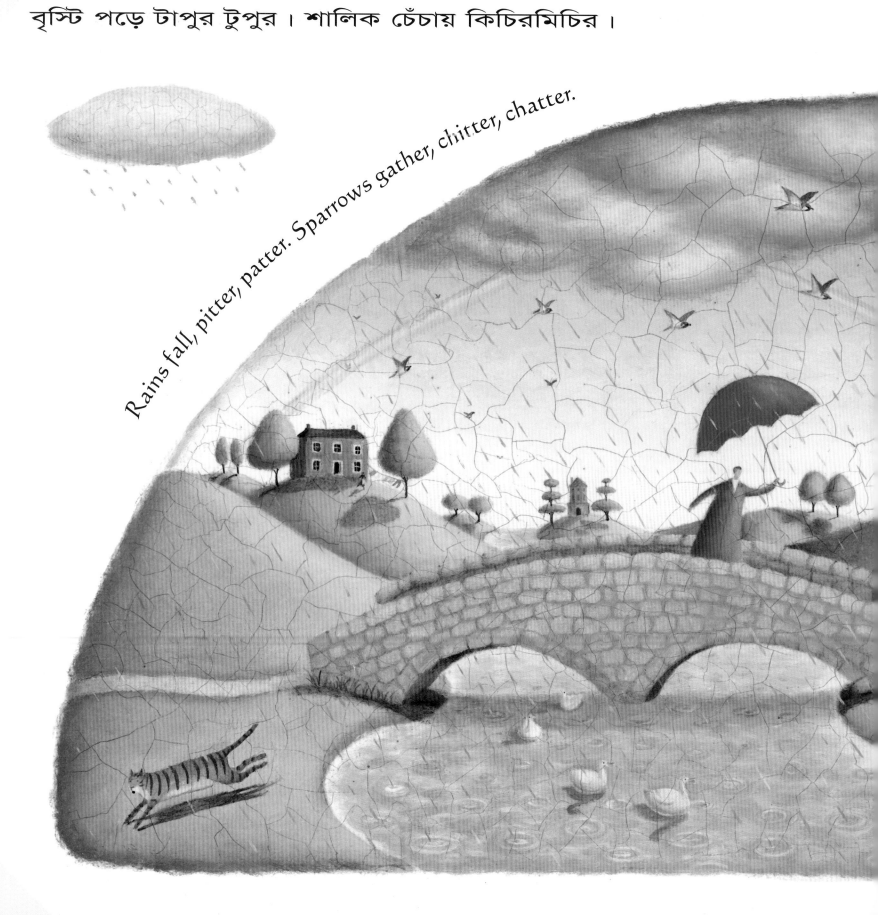

Rains fall, pitter, patter. Sparrows gather, chitter, chatter.

শোনো, শোনো... বসন্তকাল চলে গেল। অন্য ঋতুর শুরু হল।

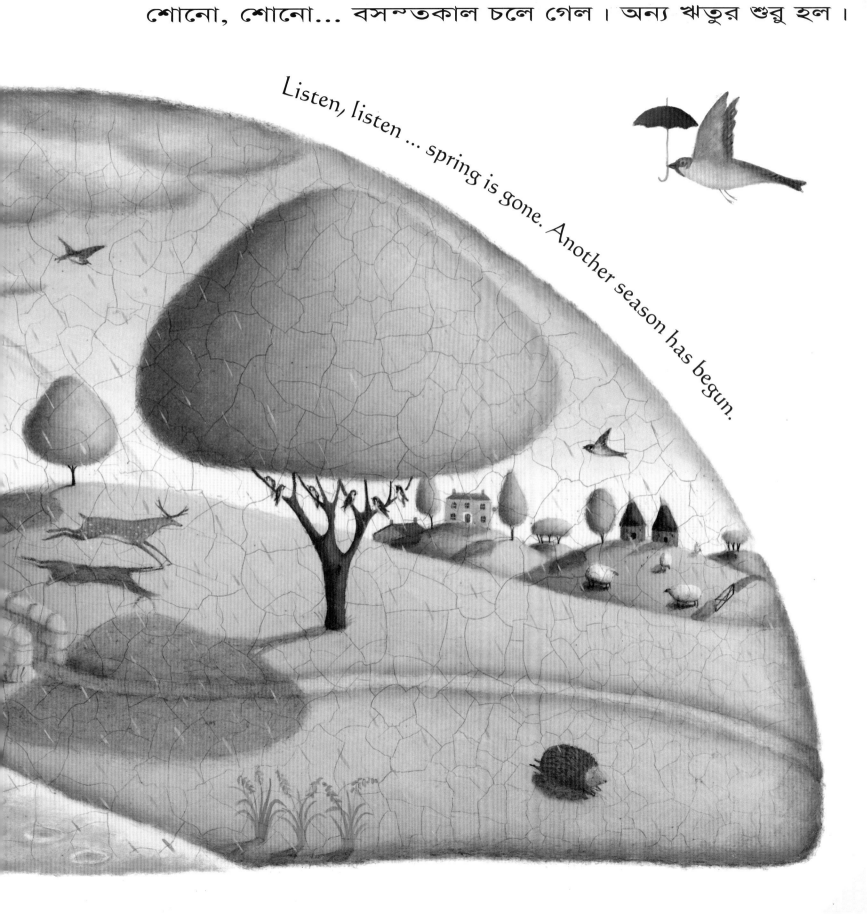

Listen, listen ... spring is gone. Another season has begun.

বাতাসে, মাটিতে, রাতে ও দিনে – ওটা কিসের শব্দ?

In the air, on the ground, night and day – what's that sound?

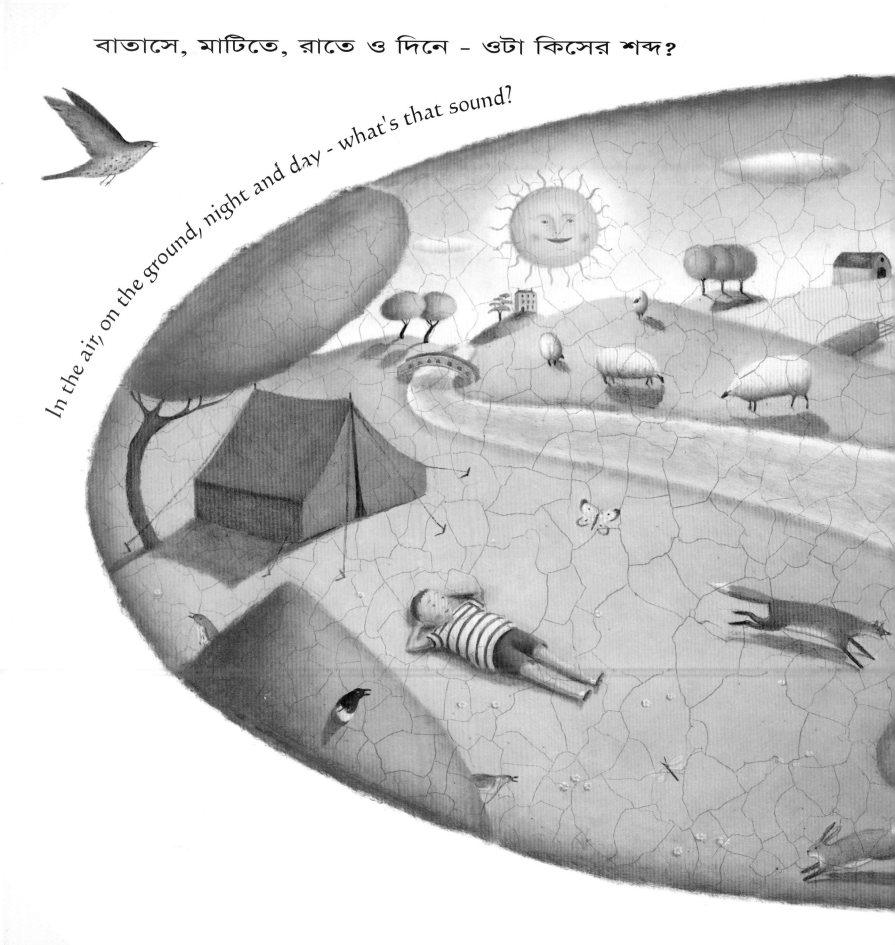

শোনো, শোনো... বসন্তের পর গ্রীষ্মকাল আসছে আর...

Listen, listen ... after spring, summer comes and ...

পোকা-মাকড় গান গায় !

Insects sing!

চিরপ, চিরপ, চুর, চুর, বাজ, বাজ, হুইর, হুইর ।

Chirp, chirp, churr, churr, buzz, buzz, whirr, whirr.

In the summer, can you see

a cricket

a butterfly

a mosquito

a bee

a dragonfly

a grasshopper

a beetle

a sunflower

a daisy

a leaf?

In the autumn, can you see

an owl

a goose

an acorn

an apple

a stalk of wheat

a squirrel

a pumpkin

an ear of corn

a seagull

a leaf?

In the winter, can you see

a crow

a mouse

a starling

a paw print

a holly berry

an icicle

a snowflake

a leaf?

a sprig of mistletoe

In the spring, can you see

a tulip

a frog

a daffodil

a duckling

a bluebell

a chick

a rainbow

a rabbit

a sparrow

a leaf?

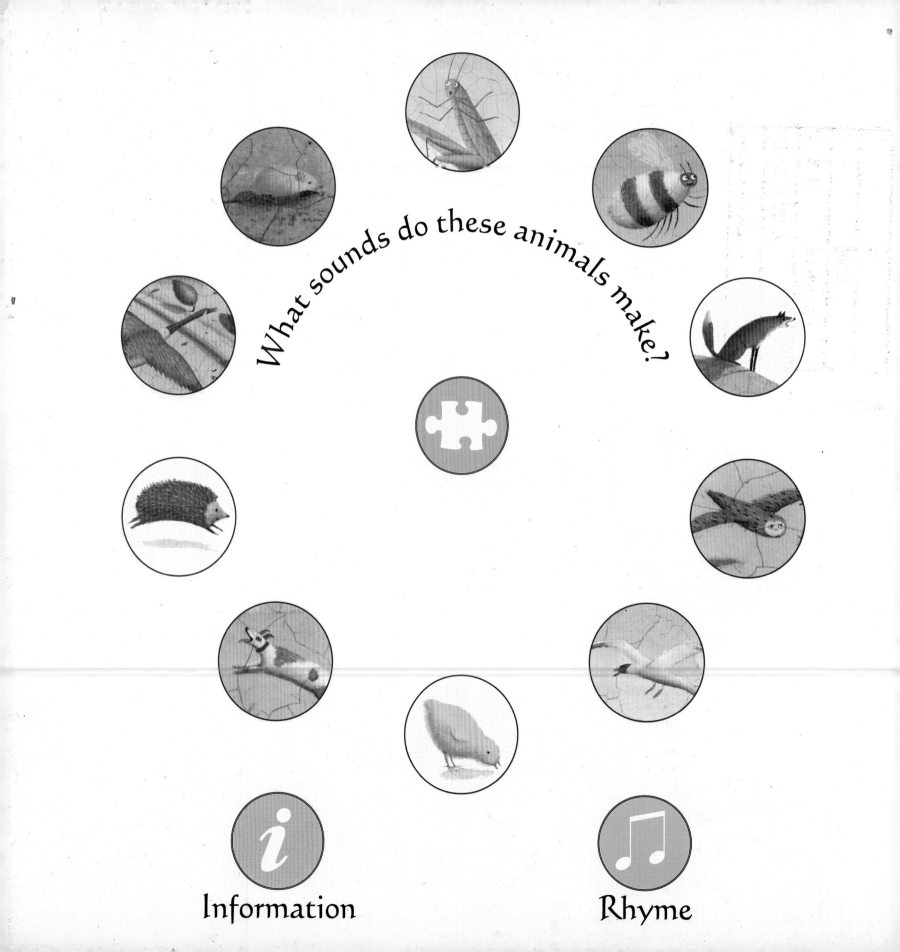

What sounds do these animals make?

Information

Rhyme